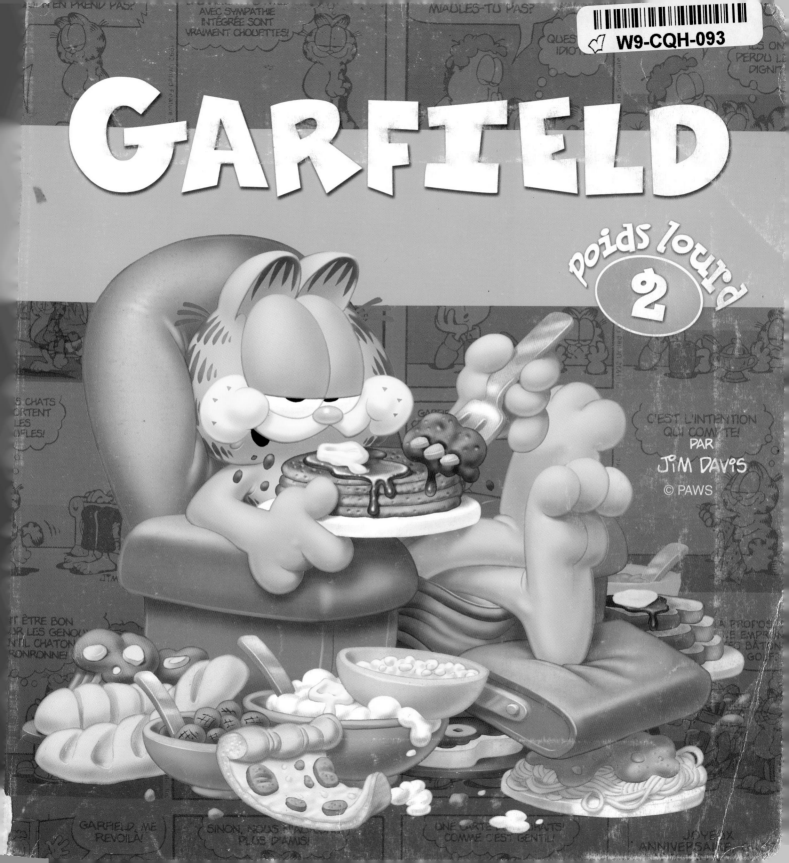

© 2012 Presses Aventure pour l'édition en langue française
© 2012 PAWS, Inc. Tous droits réservés.

Garfield et les autres personnages Garfield sont des marques déposées ou non
déposées de Paws, Inc.

Presses Aventure, une division de
LES PUBLICATIONS MODUS VIVENDI INC.
55, rue Jean-Talon Ouest, 2ᵉ étage
Montréal (Québec) H2R 2W8
CANADA
www.groupemodus.com

Éditeur : Marc Alain
Designer graphique : Émilie Houle

Bandes tirées des livres *Album Garfield #3* (2004), *Album Garfield #4* (2004) et *Album Garfield #5* (2004)
publiés par Presses Aventure en version française et traduits de l'anglais par Jean-Robert Saucyer.

Auteur des blagues des pages 96, 97, 214 et 215 : Benoît Roberge

Contenu des pages 32, 33, 64, 65, 186 et 187 tiré du livre *Garfield en profondeur* (2005)
paru sous le titre original *Garfield's Guide to Everything* et traduit de l'anglais par Carole Damphousse.

Contenu des pages 152 à 159 tiré du livre *La maison hantée et autres contes effrayants* (2006)
paru sous le titre original *Haunted House & Pooky Tales* et traduit de l'anglais par Catherine Girard-Audet.

Dépôt légal — Bibliothèque et Archives nationales du Québec, 2012
Dépôt légal — Bibliothèque et Archives Canada, 2012

ISBN 978-2-89660-441-8

Nous reconnaissons le soutien financier du gouvernement du Canada par l'entremise
du Fonds du livre du Canada pour nos activités d'édition.

Gouvernement du Québec — Programme de crédit d'impôt pour l'édition de livres — Gestion SODEC

Imprimé à Singapour

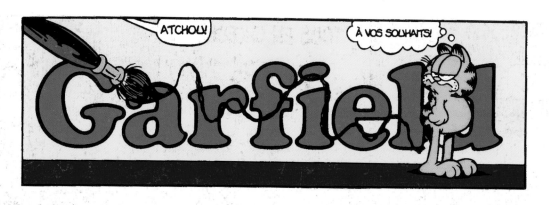

SNIF!

DRÔLE DE CHAT!

POUR SAVOIR S'IL SENT LE BONBON!

VOILÀ!

JE PEUX PRÉDIRE QUE JON PART POUR LE WEEK-END!

VOYEZ LE VISAGE RADIEUX DE JON QUAND JE FAIS MON ENTRÉE!

BON, D'ACCORD, J'AI MAL CHOISI MES MOTS!

PING

OUCHE
OUCHE
OUCHE
OUCHE

PING

OUCHE OUCHE OUCHE
OUCHE
OUCHE   OUCHE
OUCHE   OUCHE
OUCHE
OUCHE

PING

GARFIELD
À PROPOS DES CLOWNS

Certaines personnes sont fascinées par les clowns; moi je les trouve simplement ennuyants avec leurs sempiternelles trompettes et tartes au visage. (Les tartes doivent être mangées, non lancées!) Si 30 clowns veulent monter dans une Volkswagen... qu'est-ce qui arrive?

Tout cela est ironique car non seulement je vis avec un clown (avez-vous déjà vu la robe de chambre complètement dingue de Jon?), mais une fois j'ai été moi-même un clown! Odie et moi avions décidé de nous éloigner de la maison; nous avions joint un cirque où j'ai été forcé de travailler comme clown et on m'avait surnommé «Rotundo» (l'indignation!).

J'ai joué comme Binky, le clown que l'on voit à la télévision. Odieusement lourd (comparativement à Binky, Krakatoa était un bon rot). Mais je préfère toujours un clown bruyant à un mime bête.

MESDAMES ET MESSIEURS! MON ASSISTANT... ROTUNDO LE CLOWN!

ROTUNDO?

9-19

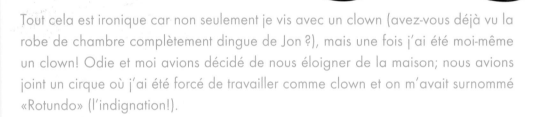

ROTUNDO REÇOIT MAINTENANT UNE TARTE AU VISAGE!

SPLUT

JIM DAVIS

DE MON ASSISTANT, DUMMY LE CLOWN!

NOUS NOUS RESSEMBLONS VAGUEMENT

GARFIELD
À PROPOS DES CHIENS

Que puis-je dire au sujet de l'espèce canine ? Que dire au sujet de la vie d'un bol de cerises et des chiens qui en sont les noyaux ? Que dire d'une haleine de chien, sinon que c'est pire qu'une morsure ? Ou peut-être ceci : les chiens sont un sous-produit animal de la saucisse Francfort pour la vie.

Pourquoi je sous-estime autant ces puces de ferme à quatre pattes ? Peut-être parce qu'elles représentent 90 % de la production mondiale de bave; la seule ruse que les chiens connaissent est un « jeu stupide ». Quelle contribution positive apportent ces gobeurs d'eau de toilette à la société? Rapporter un bâton n'est pas exactement un accomplissement qui vaut le prix Nobel.

Quant à moi, je considère que le seul bon chien est un chien chaud.

PLUS DE BISCUITS!

ET JE CROIS QUE LE DERNIER ÉTAIT UN DESSOUS DE VERRE!

ALERTE! DES SCORPIONS GÉANTS!

LES MORTS-VIVANTS VIENNENT DE CE CÔTÉ!

KING KONG A LE RHUME ET VEUT EMPRUNTER TON MOUCHOIR!

JE NE BOUGE PAS AVANT D'AVOIR AVALÉ LA DERNIÈRE BOUCHÉE

JE DÉTESTE LES OISEAUX!

© 1992 United Feature Syndicate, Inc.

Garfield

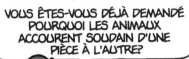

AAïïïEEEEEE!!

ON AURAIT DIT LE FACTEUR

CHAT BIZARRE!

ON NE S'ADRESSE PAS AINSI À QUELQU'UN QUI PORTE L'UNIFORME!

DORÉNAVANT, TU M'APPELLERAS MONSIEUR RIGOLADE!

« MONSIEUR RIGOLADE » TRIE SES CHAUSSETTES

JE N'AI PAS ENVIE DE CUISINER CE SOIR, GARFIELD

NOUS DÎNERONS DE SPAGHETTIS EN CONSERVE

DANS CERTAINS PAYS, ON BOUFFE LES CHATS!

PAS EN CONSERVE, J'EN SUIS SÛR!

CAPITAINE, NOS SENSEURS ONT CAPTÉ UN SIGNAL

VISUALISA-TION!

AÏE! QUELLE EST CETTE CHOSE?

ON DIRAIT UNE MASSE HIDEUSE DE GRAISSE, CAPITAINE!

BIP! BIP! BIP!

ALLUMEZ LES CANONS LASER!

LE LASER N'A AUCUN EFFET, CAPITAINE!

JE TE DÉTESTE!

CAPITAINE, JE CAPTE DES SIGNAUX HOSTILES

JPM DAVIS 9-27

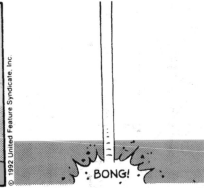

GARFIELD
À PROPOS DE L'AMOUR

Amour, doux amour. Qu'est-ce qui a autant de splendeur qu'une conquête ? Qu'est-ce qui nous rend fous et fait que le monde tourne ?

Beaucoup plus a été écrit au sujet de l'amour que sur n'importe quel autre sujet. Les poètes, les dramaturges et les chansonniers ont exploré les mystères de cette émotion énigmatique et se sont extasiés au-delà de son pouvoir redoutable. L'amour a été perçu comme un mal engendrant la folie, une démangeaison du cœur, une douleur de l'esprit. L'amour peut être le premier regard – ou l'aveuglement. Il peut être deux cœurs qui battent comme un seul ou une mélodie qui chante pour deux. Il peut même avoir un score de zéro au tennis.

Toutes ces choses éthériques et ésotériques me donnent mal à la tête. Je préfère que ce soit simple. J'aime mes amis, ma nourriture et moi-même (bien que pas nécessairement en ordre). Je crois en l'amour à la première bouchée. Que cet amour véritable partage la dernière pointe de pizza !

LASAGNE.
IL N'Y A PAS D'AMOUR COMME VOTRE PREMIER AMOUR

GARFIELD
À PROPOS DES MONSTRES

Les loups-garous, les momies et les zombies ne m'effraient pas du tout. Non, la seule chose qui m'effraie c'est de vivre sans lasagne. En fait, j'aime les monstres, spécialement ceux avec qui Jon a rendez-vous. Mais quand cela survient au grand écran, je préfère réellement les créatures classiques à celles de gars mal foutus. Personne ne peut porter un masque de hockey et dépecer un camp de vacances. Les anciens monstres avaient de la classe. Du style. Dracula portait même un smoking !

Mais nous sommes loin de tout cela depuis que nous avons appris le sinistre sort réservé aux vedettes d'antan. Qu'a-t-il bien pu leur arriver ? C'est drôle que vous le demandiez.

JON ! JON !

AAAAAAHHHHH !

GARFIELD ! CESSE DE M'EFFRAYER !

SI TU VEUX QUELQUE CHOSE, TAPE DOUCEMENT SUR MON ÉPAULE !

TAP TAP

DÉCIDE!

CERTAINS CHOIX EXIGENT MÛRE RÉFLEXION!

DEPUIS LE TEMPS DE L'ÉCOLE, JE SUIS DEVENU RAFFINÉ...

JE SUIS PLUS POSÉ...

HÉ, LA NOUILLE

TE SOUVIENS-TU T'ÊTRE MOUCHÉ DANS LE DRAPEAU DE L'ÉCOLE?

PLUS TARD, VIEUX!

NOTRE BAL DES ANCIENS EST UNE RÉUSSITE, HEIN LA NOUILLE?

TOUT À FAIT, VIEUX!

SOUVIENS-TOI DU JOUR OÙ J'AI LANCÉ TON PANTALON DANS LE VESTIAIRE DES FILLES!

TU ÉTAIS JEUNE ET FOU, ALORS

À PRÉSENT, TU ES SEULEMENT FOU!

VIVE LA NOSTALGIE!

HERVÉ! APRÈS TOUT CE TEMPS! HEUREUX DE TE VOIR!

JE NE SUIS PAS HERVÉ!

EUH...BIEN SÛR, PIERRE!

JEAN!

JACQUES!

NAN

NAN

NAN, C'EST JON!

SAPRISTI! JON, TU N'AS PAS CHANGÉ, VIEUX!

QUI DIABLE ÊTES-VOUS?

NOËL APPROCHE!

NOUS DÉSIRONS UN SAPIN DE NOËL

QUE DIRIEZ-VOUS D'UN SAPIN ARTIFICIEL?

EN QUOI EST-CE DIFFÉRENT?

PAS D'EAU À DONNER À UN SAPIN ARTIFICIEL!

ET ALORS?

NOUS NE DONNONS PAS D'EAU AUX SAPINS NATURELS

VOYONS... OÙ INSTALLERONS-NOUS L'ARBRE CETTE ANNÉE?

POURQUOI PAS LÀ OÙ NOUS L'AVIONS MIS L'AN PASSÉ?

BONNE IDÉE!

LES BLAGUES
DE GARFIELD...

OÙ SUPERMAN FAIT-IL SON ÉPICERIE ?

DANS UN SUPERMARCHÉ, BIEN SÛR !

POURQUOI LE CHEF CUISINIER A-T-IL ÉTÉ MIS À LA PORTE ?

PARCE QU'IL ÉTAIT À CÔTÉ DE LA PLAQUE.

COMMENT SE SENT ODIE QUAND ON LUI PROPOSE D'ALLER EN CAMPING ?

ÇA LUI TENTE.

POURQUOI GARFIELD EST-IL HABILE EN NÉGOCIATIONS ?

PARCE QUE SES ARGUMENTS ONT DU POIDS !

QU'EST-CE QUI EST PLUS GROS QUE GARFIELD, MAIS QUI NE PÈSE RIEN ?

L'OMBRE DE GARFIELD.

QU'EST-CE QUE GARFIELD
RÊVE D'ESCALADER ?

UNE MONTAGNE DE PÂTES.

QUELLE EST LA 12E PLUS GROSSE
MONTAGNE DU MONDE ?

LA BEDAINE DE GARFIELD.

QUE FAIT GARFIELD
QUAND IL N'Y A PLUS RIEN
DANS LE FRIGO ?

IL MANGE SES ÉMOTIONS.

QUELLE EST LA PYRAMIDE
PRÉFÉRÉE DE GARFIELD ?

LA PYRAMIDE
DE NOURRITURE.

COMMENT SE SENT GARFIELD
DEVANT UNE MOUFFETTE ?

IL SENT L'ODEUR DE LA DÉFAITE.

POURQUOI GARFIELD PORTE-T-IL
DES GANTS POUR ÉCRIRE
UN COURRIEL ?

SON ORDINATEUR A ATTRAPÉ
UN VIRUS.

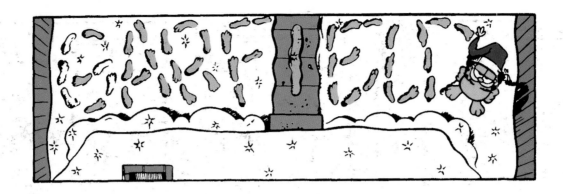

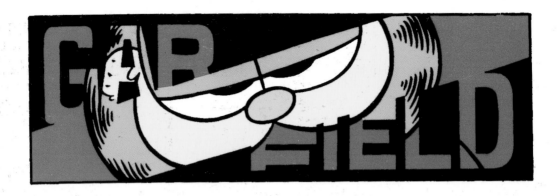

GARFIELD ÉCOLO

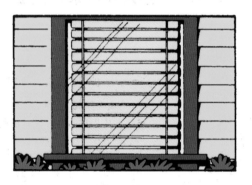 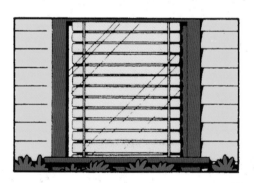

MASSACRE À LA TRONÇONNEUSE

— Votre pizza devrait arriver dans trente minutes, dit Jon. J'ai mis l'argent sur la table.

— D'accord, dit Garfield sans quitter la télévision des yeux. Vous pouvez disposer.

— Je vais prendre un bain et aller au lit. Garfield, n'abuse pas d'Odie.

— Je n'endommagerai pas ses organes principaux.

— Et sois gentil avec Nermal. N'oublie pas qu'il est notre invité.

Garfield jeta un regard aigri sur Nermal, le chaton le plus mignon du monde.

— Mais je ne ferais jamais de mal à Nermal, déclara Garfield. Je l'aime à mort… d'une mort naturelle et subite.

Jon se rendit à sa chambre à coucher.

— Je suis vraiment content de passer la nuit ici, dit Nermal. Alors, quoi de bon à la télé ce soir ?

— Eh bien, dit Garfield, il y a toujours l'émission de cuisine qui dure toute la nuit.

— Oublie ça, dit Nermal.

— Alors que penses-tu de « Cauchemars du vendredi soir » ?

— Ça me semble terrifiant, dit Nermal. Je n'aime pas vraiment les films d'horreur.

— Alors nous écouterons « Cauchemars du vendredi soir » ! s'écria Garfield en changeant de chaîne.

— « Soyez les bienfenus à "Cauchemars du fendredi soir", dit l'animateur, qui était vêtu comme le comte Dracula. Le film de ce soir s'intitule "Raymond, le monstre aimable". »

Nermal jeta un coup d'œil par-dessus un coussin du divan qu'il avait mis devant son visage.

— Dis donc, ça n'a pas l'air si effrayant, dit-il.

— Pas de chance, grommela Garfield.

Les trois animaux s'installèrent pour regarder le film. Raymond n'était pas vraiment un monstre. Il ne grognait pas, il ne hurlait pas et s'il effrayait quelqu'un, il se confondait en excuses.

— Ce n'est pas effrayant du tout, dit Nermal. J'aime bien.

Garfield enfonça ses griffes dans le sofa.

— Où sont les vrais monstres lorsqu'on en a besoin ? se plaignit-il.

— J'espère que notre pizza arrivera bientôt, ajouta Nermal.

Garfield lança un regard furieux au chaton. Puis la moue de Garfield se transforma lentement en un sourire espiègle.

— J'espère seulement que notre pizza ne sera pas livrée par… le psychopathe de la pizza, dit Garfield.

Nermal jeta un coup d'œil à Garfield.

— Qu'est-ce que tu veux dire ?

— Le psychopathe de la pizza. Tu as entendu parler de lui ?

— Non, jamais.

— Wouf, ajouta Odie, l'air inquiet.

— Eh bien, voici ce que moi j'ai entendu, dit Garfield en se penchant plus près du chien et du chaton. Voyez-vous, ce psychopathe vivait dans un hôpital tout particulier parce qu'il avait fait des trucs vraiment horribles aux gens.

— Comme quoi ?

— C'est trop horrible à raconter. Tout ce que je peux vous dire, c'est que vous ne voulez pas être dans les parages lorsqu'il travaille avec des outils électriques. Un jour, ce psychopathe s'est enfui de l'hôpital, et la police n'est jamais parvenue à le retrouver. C'est parce qu'il ne ressemble pas à un psychopathe. En fait, il a l'air tout à fait normal, comme les gens que vous croisez tous les jours dans la rue. Enfin, il avait besoin d'argent pour acheter de nouveaux outils électriques. Il s'est donc trouvé un travail. Et quel emploi croyez-vous qu'il a obtenu ?

Nermal et Odie retinrent leur souffle.

— Livreur de pizza.

— C'est ce que je craignais, dit Nermal d'une voix rauque.

— Un soir, un adolescent était seul chez lui. Il avait faim et il a décidé de commander une pizza. Et qui croyez-vous a livré cette pizza ?

– Le psychopathe ? chuchota Nermal.

– En plein dans le mille, dit Garfield. Le jeune ne soupçonnait rien. On a sonné à la porte. Il s'est avancé vers la porte, l'a ouverte…

– Je ne peux pas voir, couina Nermal. Il couvrit ses yeux avec ses pattes alors qu'Odie couvrit les siens avec ses oreilles.

Garfield s'arrêta.

Nermal jeta un coup d'œil furtif.

– Et ?

– Tout ce que les policiers ont retrouvé fut deux morceaux de pepperoni et trois morceaux de l'adolescent.

– Oh, c'est dégueulasse !

– Et le pire est qu'ils n'ont toujours pas retrouvé le psychopathe de la pizza, dit Garfield. Il est toujours en liberté, se déplaçant de ville en ville. Et de temps en temps, il s'arrête pour faire une livraison *spéciale*.

La sonnette retentit, faisant sursauter les trois animaux.

– C'est peut-être lui, chuchota Garfield.

– Qu'allons-nous *faire* ? demanda Nermal.

Garfield caressa ses mentons multiples.

– Toi et Odie allez vous cacher dans la cuisine. Je répondrai à la porte. Quoi qu'il arrive, ne sortez pas tant que je ne vous aurai pas appelés.

Nermal et Odie étreignirent Garfield.

– Tu es si brave, dit Nermal.

– Et toi, si petit, rétorqua Garfield.

Nermal et Odie se précipitèrent vers la cuisine et se cachèrent dans le garde-manger. Ils se tapirent parmi les boîtes de conserve et tendirent l'oreille pour entendre ce qui se passait dans le salon.

– Je n'entends rien, chuchota Nermal. Il ne s'agissait peut-être pas du psychopathe après tout.

Le silence dura ce qui sembla une éternité. Puis, tout à coup, ils entendirent le bruit strident d'un moteur électrique !

Nermal et Odie s'échangèrent des regards terrorisés.

– Des outils électriques ! haleta Nermal.

Le bruit ne cessa de se rapprocher. Il se trouvait juste de l'autre côté de la porte de cuisine !

– Je suis trop mignon pour être découpé en filets ! s'écria Nermal.

La porte du garde-manger s'ouvrit toute grande ! Il y avait un homme ! Un homme avec un appareil vrombissant à la main.

Nermal et Odie hurlèrent! L'homme hurla! Pris de panique, Nermal et Odie plongèrent entre les jambes de l'homme, le renversant. Les deux animaux traversèrent le salon à la course et quittèrent la maison, s'enfonçant dans la nuit sans jamais regarder derrière eux!

– Qu'est-ce qui se passe? leur cria Garfield. Vous n'aimez pas les anchois?

Grignotant une pointe de pizza, Garfield arriva tranquillement dans la cuisine.

Jon se redressa sur le plancher de la cuisine, le souffle coupé par la surprise. Sa brosse à dents électrique vibrait sur le carrelage à côté de lui. Jon la prit et l'éteignit.

– Que faisaient Odie et Nermal dans le garde-manger? demanda Jon. Je ne faisais que vérifier s'il y avait assez de nourriture pour chiens jusqu'à demain. Pourquoi ont-ils hurlé et décampé ainsi?

– J'en sais rien, dit Garfield. Ils ont peut-être eu peur de tes pantoufles en forme de lapin.

Jon enfila son peignoir et partit à la recherche des animaux effrayés. Garfield se laissa choir lourdement sur le sofa, prit le contrôle de la télé et syntonisa l'émission de cuisine.

Cette soirée a été amusante, après tout, pensa Garfield en avalant la dernière pointe de pizza. *Ça démontre que lorsque l'on commande la pizza d'un psychopathe, des trucs étranges peuvent se produire!*

158

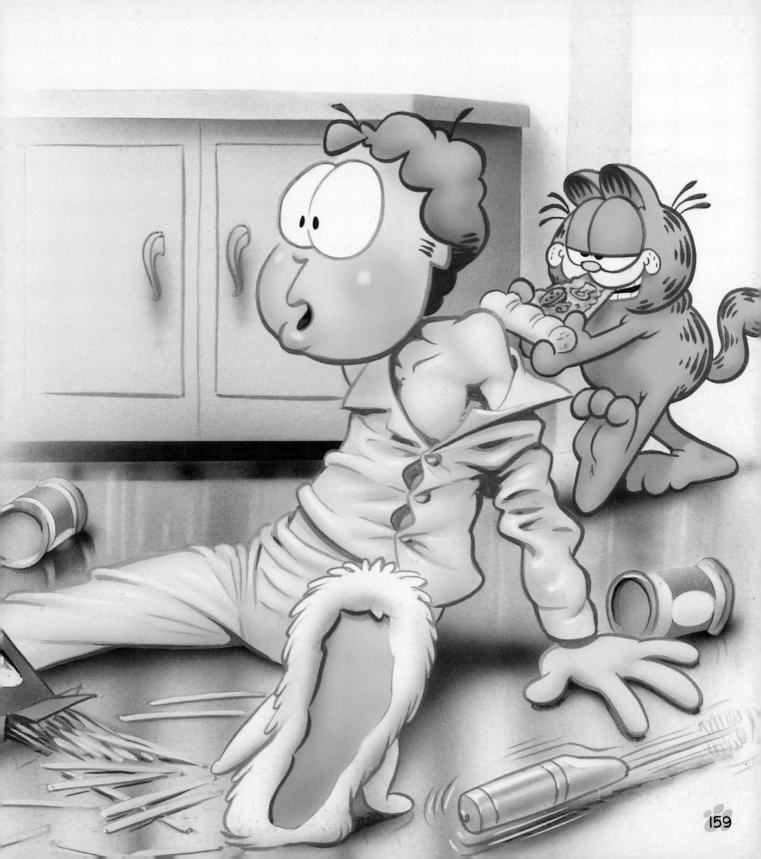

J'IGNORE POURQUOI LES PELOTES DE LAINE ATTIRENT AUTANT LES CHATS

POUR LES AUTRES, JE NE SAIS PAS

MOI, JE LES REVENDS ET J'ACHÈTE DES CARAMELS MOUS AVEC L'ARGENT!

QU'IL EST ÉMOUVANT DE VOIR UN CHAT S'AMUSER AVEC UNE PELOTE!

OÙ SONT LES SPAGHETTIS?

LES CHATS SONT FASCINANTS

VOYEZ COMMENT ILS LISSENT SOIGNEUSEMENT LEUR PELAGE!

EN FAIT, J'ESSAIE DE DÉLOGER CETTE TACHE DE SAUCE BIEN INCRUSTÉE

CETTE SEMAINE, J'ENTREPRENDS LA RÉDACTION D'UN ROMAN. ON PRÉTEND QUE CHACUN PORTE UN LIVRE EN SOI

JE PORTE PROBABLEMENT UNE LIBRAIRE!

POUR ÉCRIRE, IL FAUT BOUGER ET VIVRE AU MAXIMUM

JE VAIS COURSER LES TAUREAUX À PAMPELUNE !

PUIS J'ÉCRIRAI: «LA CHOSE LA PLUS STUPIDE QUE J'AI FAITE»

NOUS, ÉCRIVAINS, AVONS L'ÉTRANGE FACULTÉ DE NOUS OBSERVER D'UN POINT DE VUE OMNISCIENT

«ALORS QUE LE MAGNIFIQUE CHAT CONTEMPLAIT LA FOLIE DU MONDE, IL ÉCLATA DE RIRE HA! HA! HA!»

PUIS, IL TOMBA DE SA CHAISE !

CERTAINS RÉPÈTENT SANS CESSE QU'ILS PROJETTENT UN LIVRE

ALORS QUE D'AUTRES PASSENT À L'ACTION

VOICI COMMENT JE VEUX PARAÎTRE SUR LA JAQUETTE DE MON ROMAN

VAS-Y! BOUFFE, JON! EN TANT QU'ÉCRIVAIN, JE SOUHAITE T'OBSERVER

JE CROIS PLUTÔT QUE JE VAIS ÉCRIRE MON AUTOBIOGRAPHIE!

JE DOIS SOUFFRIR POUR ÊTRE EN MESURE DE PONDRE UN CHEF-D'ŒUVRE

WHAM!

MERCI, JON! JE ME SOUVIENDRAI DE TOI DANS MON DISCOURS D'ACCEPTATION DU PRIX NOBEL DE LITTÉRATURE

165

RAPPORTE CETTE BOUGIE!

N'EST-CE PAS DÉGOÛTANT, CES MIETTES QUI FLOTTENT SUR LE CAFÉ QUAND ON Y TREMPE UN BEIGNE?

BEURK! **GARFIELD!**

POUR UNE FOIS, J'AIMERAIS POUVOIR FERMER L'OEIL, GARFIELD

BON, D'ACCORD!

TIENS!

... AUSSI LES FUSÉES ÉCLAIRANTES!

TU N'ES PAS DRÔLE, LE SAIS-TU?

GARFIELD
À PROPOS DU TRAVAIL

J'AI MIS SOUS TENSION MON « VISAGE AU TRAVAIL »

Saviez-vous que la durée moyenne des vacances en Amérique du Nord est la plus courte dans les pays industrialisés ? Deux petites semaines. J'ai fait des siestes aussi longues. Un récent sondage révélait que près de la moitié des Nords-Américains ne planifiaient pas de prendre des vacances cette année. Il s'agit là d'un scandale national !

N'oublions pas les Japonais, nos camarades intoxiqués par le travail. Ils ont un mot spécifique pour cela, karoshi, qui signifie « mort causée par trop de travail ». Un scandale ! (Maintenant, mourir à cause du chocolat est d'un autre ordre...)

Ouais. Je sais que le travail est nécessaire; je ne veux simplement pas être celui qui le fait. Mais si vous voulez un travail comme moyen d'échapper à vos enfants, cela est bien compréhensible. Mais vous ne devez pas user vos doigts jusqu'à l'os. Les doigts sont mieux utilisés lorsque vous mangez des frites et du maïs en épi. Voyons les choses en face. Dans le monde actuel, il y a simplement trop de rats et pas assez de fromage. (Suis-je le seul à être prêt pour une pause dîner ?)

TU N'AS RIEN FAIT QUI RESSEMBLE À DU TRAVAIL AUJOURD'HUI ?

EN FAIT, LE DÎNER AVAIT QUELQUE CHOSE DE MOELLEUX

JPM DAVPS 6-25

GARFIELD
À PROPOS DU CAFÉ

Java, joe, cappuccino, expresso... Ce sont tous des cafés et ils sont tous bons. Un café portant un autre nom pourrait aussi être excellent. Mais il y a une chose : ce merveilleux élixir de vie, ce fondement de la civilisation, il se doit d'être fort. Je veux dire, Hercule, l'homme fort. En fait, je pense que généralement il doit boire une cafetière en entier pour se mettre en forme avant de soulever un éléphant.

Décaféiné ? Faites-moi rire. Ce mélange est fait pour les poules mouillées et ceux qui se prennent pour des puristes. Je suis un fanatique du café... né pour être intoxiqué... Je suis toujours prêt pour un café! Particulièrement le matin... c'est ma seule façon de démarrer ma journée... Mes paupières se soulèvent lorsque le café tombe dans ma tasse. Dix ou douze tasses et je peux commencer ma journée.

Café. Seulement le brasser.

MAINTENANT, VOILÀ UN BON CAFÉ

JIM DAVIS 12-1

GARFIELD

LES BLAGUES

COMMENT ODIE TROUVE-T-IL L'HIVER ?

IL LE LAISSE FROID.

QUE SE PASSE-T-IL LORSQUE GARFIELD EST AMOUREUX ?

SON CŒUR CHAT-VIRE.

COMMENT GARFIELD AIME-T-IL SES BEIGNES ?

À LA DOUZAINE !

QUEL EST LE GÂTEAU PRÉFÉRÉ DES SOURIS ?

LE GÂTEAU AU FROMAGE.

QUE FAIT LA GRENOUILLE LORSQU'ELLE CROISE UN BEAU GARS ?

ELLE LUI SAUTE DESSUS.

QUELLES SONT LES DEUX LETTRES QUE GARFIELD AIME LE PLUS REGARDER ?

TV.

QUEL ÂGE A LE BALAI ?

DIX ANS ET DES POUSSIÈRES.

COMMENT LE CULTIVATEUR
EST-IL ACCUEILLI PAR
SES LÉGUMES ?

IL SE FAIT CRIER CHOU !

POURQUOI LE DINOSAURE EST-IL SI GROS ?

PARCE QU'IL MANGE COMME UN COCHON !

POURQUOI GARFIELD
N'AIME-T-IL PAS LES
CRISES ÉCONOMIQUES ?

PARCE QU'IL EST INCAPABLE
DE SE SERRER LA CEINTURE.

POURQUOI BÉBÉ MONSTRE
NE DORT-IL PAS LA NUIT ?

IL A PEUR QU'UN HUMAIN
SOIT CACHÉ SOUS SON LIT.

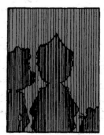

«WILL NORF... A PERDU SA DENT QUAND SON MOUCHOIR DE POCHE FUT AVALÉ PAR UNE MOISSONNEUSE-BATTEUSE»

«SID WASSLE... PROPRIO DE LA PLUS IMPORTANTE COLLECTION DE CIRE D'OREILLES»

«MARV SMALTZ... S'EST ACCIDENTELLEMENT COLLÉ LE DOIGT DANS LE NEZ»

«MURRAY KRAVITZ... N'EST JAMAIS ALLÉ À LA PLAGE SANS COMBINAISON DE SKI»

«MYRNA FEEN... CINQ FOIS GAGNANTE DU CONCOURS MISS COMÉDON»

GARFIELD, NOUS SOMMES EN LIEU SAINT!

LA GALERIE DES CRÉTINS!

JIM DAVIS

BELINDA GIZZARD! J'ADORAIS CETTE FILLE

MAIS JE PENSE QU'ELLE NE M'AIMAIT PAS

ELLE ME FORÇAIT À MANGER MES CRAIES DE COULEUR

AH! LES PREMIÈRES AMOURS D'UNE FILLE QUI FAIT MANGER DES FOURNITURES SCOLAIRES À UN GARÇON!

C'EST DÉCIDÉ, JE TÉLÉPHONE À BELINDA! J'EN TREMBLE!

BIII BOO BUU

ALLÔ, BELINDA! ICI... JON ARBU...

CLIC

OUF! HEUREUX QUE CE SOIT FAIT!

ÇA N'A PAS ÉTÉ SI MAL, HEIN?

J'AI UN RENDEZ-VOUS GALANT CE SOIR!

ELLE DIT QUE LES HOMMES DE TALENT L'ATTIRENT

FAIS VITE! IL EST PRÈS DE 20H00

J'APPORTE MES BONGOS!

ON SE REVOIT À 20H30!

WHAM!

SAPRISTI! LE SIFFLET À CHIEN FONCTIONNE!

REGARDE, JON ! UNE TACHE SUR TA CHEMISE

OÙ ?

HA ! HA !

BEDING !

ATTENTION, ODIE ! TON LACET EST DÉNOUÉ !

HA ! HA !

BEDING ! BEDONG !

HÉ, GARFIELD ! UNE ÉNORME ARAIGNÉE VELUE SUR TA BEDAINE

ESSAIE AUTRE CHOSE, JON

IL DEVRA MANGER DES CROÛTES AVANT QUE GARFIELD MARCHE DANS UN TEL PANNEAU !

3-30

JIM DAVIS